착시현상

착시현상

발   행 | 2024년 8월 22일
저   자 | 윤시현
펴낸이 | 한건희
펴낸곳 | 주식회사 부크크
출판사등록 | 2014.07.15.(제2014-16호)
주   소 | 서울특별시 금천구 가산디지털1로 119 SK트윈타워 A동 305호
전   화 | 1670-8316
이메일 | info@bookk.co.kr

ISBN | 979-11-419-5486-4

www.bookk.co.kr

착시현상

윤시현 지음

펼치며

시인이 하나의 시선만 가지고 있으면
독자들도 그 시선에 맞추어 하나의 세상만 본다.

이 시집에서는
다양한 시선으로 세상을 바라볼 수 있다.

성별과 신분, 나이는 물론 시대를 넘나드는 작품들이
수록되어 있다.

다양한 시선들과 함께 착시현상이 펼쳐질 것이다.

2024. 08. 10.

차례

1부 愛

1부 愛

눈물빛

그대 오는 밤길
내 눈빛으로 밝혀
잘 가시게
보내드리리

오시는 길마다
화도를 들여
머무르지 못하게
보내드리리

그대가 올 때면
버선 발로 마중 가
좋구나,
허고 흘려드리리

눈물을 그대라하여
나 감히 눈 감아드리리

숨죽여 두 입술 꼭 다물고
그대
묵묵히 보내드리리

다른 달

우리는 같은 달을 보곤 했다
너도 그랬고
나도 그랬다

같은 달을 보며
같은 길을 걸었다

가다가 길이 달라졌기 때문일까

우리는 더 이상 같은 달을 보지 않는다
너는 그렇고
나는 아니다

우리는 다른 달을 보는데
내 마음은
아니다

별

가장 아름다운 별
더는 살지 못하는 그런 별
더는 반짝이지 못하고
더는 숨 쉬지 못하는 그런 별
이 별에는 별 이별이 있다.

척

안 보고 싶은 척
안 생각하는 척

다시 만나면
보고 싶었던 척
생각 많이 했던 척
그렇게 할 자신 있는데

첫사랑

내 첫사랑은 누구였을까

새벽같이 우리 집 마당 달려와
영수야!
부르던 보고 싶은 영희

새침데기여두
가끔은 배시시 웃어주는 게 예뻤던
그리운 옥자

아니면
그 순수했던 모습을
오래도록 지켜주고 싶은
예쁜 여학생
점희

일상

자도 자도 졸리고

먹어도 먹어도 배고프고

울고 울어도 울고 싶고

이런 게 일상이라면

보고 있어도 보고 싶고

듣고 있어도 듣고 싶고

그런 당신도 제 일상일까요,

일상이 고픕니다

영화

그때 그 아릿한 시절은

갈대밭에서 뛰놀고
풀숲에서 숨바꼭질하고
잔디에 누워 꺄르르 웃고
트럭에 올라 옆 동네 가다가 함께 잠들었던

우리 둘 뿐인 영화였습니다

一日三秋(일일삼추)

會者定離 **회자정리**
落花流水 **낙화유수**
終天之慕 **종천지모**

하루가 세 번의 가을 같습니다.

언제인지도 모르는 그날을 위해
삼 년 같은 하루를 오늘도 기다릴 뿐입니다.

만난 사람은 반드시 헤어진다는 말이 있습니다.

그래서...
그래서 우리가
만난 사람이기에 이렇게나 아픈 이별을 하는 걸까요

어차피 질 꽃이라면
조금 더 초라하더라도
어차피 내일도 기다릴 뿐일 것이라면
그건 내일의 내가 겪을 테니

내가 임을 사모하는 마음을
내 세상이 끝날 때까지 지키겠습니다.

2부

정

올타구나 허고
가는 길매이 궁시렁거리는 어느 지느룽이
사람들헌테 짓발피도 가랴운 척 꾸물거리는구나
속이 답답해두 겉으로는 빛나는 척 꿈틀거리는구나
아아, 아쉬우라…
이제는 그 지느룽이마자도 볼 수가 없나이
참으로 아쉬우라… 참으루…

앞

앞으로 잘할게

그 앞은 뒤인데,
뒤에서도 잘하지 못한 못난 나를

하늘이 용서해 주실까

기괴

힘껏 살려놓은 자국의 조상들에게
차마 볼 수 없는 말을 툭툭 뱉질 않나

한껏 다려놓은 어여쁜 자연들에게
자기 먼저라며 침을 툭툭 뱉질 않나

실컷 꾸려놓은 살림의 흔적들에게
그게 무어냐며 무식을 툭툭 뱉질 않나

참으로 기괴하다

우린 모두 불편함의 시대에 살아간다.

개인주의적인 사회가 형성되고,
우리의 한국적인 문화는 급속도로 파괴된다.

그런 안타까운 마음에 이 시를 썼다.

우리 조상들이
피를 흘려서 전쟁으로부터 나라를 지키고
땀을 흘려서 우리 경제를 발전시켰는데

지금 이 시간을 살아가는 우리는
나라를 등지고
경제에 힘을 싣지 못한다.

그보다 훨씬 전부터 가꿔놓은 자연에게는
우리 인간이 우선적인 존재라고 생각해
상처를 남기고

그보다 훨씬 후인 새롭게 형성된 문물들에게는
우리 인간이 뭐라고 비난을 뱉으며 무식을 보인다.

기괴한 느낌이다.

소원

털썩
마루에 앉아
숨 넘어갈 듯
밤하늘을
올려다보면서

이 별 저 별 가리키며

우리 집 동구가 학교에 가게 해 주세요.

우리 할머니가 아프지 않게 해 주세요.

우리나라가 잘살게 해 주세요.

그리고 저 별은

우리 엄마 아버지,
소원하지 않게 해 주세요.

입영

저 괜찮다구요,
잘 다녀올게요.
너무 걱정마요.

부모님 한 번 세게 안아드리고
여자친구 얼굴 한 번 보고
나비 꼬순내 한 번 맡고
입대 전 최후의 집밥 한 번 누리고

노래 하나 부르면서 입대하러 간다.

운

잡혀라 욕심낼 때는 그림자도 안 보이는 게
내 좁은 머리에 스치지 않는 날에는
이것이 이리저리 따라다닌다

한숨

긴 숨을 마시고
짧게 허하고 허한 걱정을 낸다
겹겹이 쌓여간다

기적

아침에 한 번
점심에 한 번
저녁에 또 한 번
그렇게 세 번을
일곱 날을 버티고 버티어서
하나의 작은 기적을 만난다

순환

그렇게 닮아가면서
달라지고 또 닮아지면서
반복하다가 멈추고 다시 일어나면서
그렇게 계속 물들어가면서

사과

사과하다
지쳐서
사과를 줍고

잘못 떨어뜨린 것처럼
원래 내 것인 양
한 입 베어 물고

왠지 이가 아파서
사과한다

한 번
떨어졌던 사과다

마더

한 덩치 큰 청년이 내게 와
무언가 표현하는데

갑자기 눈물을 흘리며 노래를 하더라

내 평생 이런 통곡을 해본 적이 없다
내가 내 아들, 정수한테 불러주었던 노래야

우리는 40년이 지나 언어가 달랐다만은

그때 잃은 내 아들이 맞다

아까 뭐라고 하며 내가 왔냐고 묻거든

나르샤 너에게

이보시게
이웃 바른손이오
내 십 어연을 글 공부하다가 많이 아팠다네
못났다오

너는 나르샤
타다른 너는 나르샤

힘 쎄 고맙고
날쌔 고맙소

그래서 너는 더 나르샤
날아라 날아 날아올라라

우리가 웅덩이에 비친 모습만큼 많이 닮았지만
웅덩이만큼 다르니 내 못난 것 네가 채우길 바라오

나르시어 나르샤 날아라 날아

겉

"괜찮습니다"

누구에게나 선한 겉이 있다
누구에게나 선한 면이 있다
때로는 그 겉이 행복일 때가 있다

속은 다르다.

"   "

누구의 속에나 상처가 있다
누구의 속에나 그런 속이 있다
그 속을 외면해버릴 때가 있다.

창문

더위를 대신 견디고
추위를 대신 버티는
이보다 더 고마운 선물이 있을까

소음을 대신 듣고
바람에게 길이 되어주는
고마운 창문의 선물

에어컨 히터
창문이 있어 빛을 내는 것들

저 먼 창 밖에서는 빛 뒤의 내 모습 가려주고
내가 창 밖을 바라볼 때면 님을 보여주는

한글에게

네 존재만으로 고마운 줄 모르는 이들 대신
내가 너를 편지하며 시에 담으리

순수하던 네 모습을 모두가 바꿔놓아
네 모습을 찾기 힘드니

이것이 네가 받아들여야 하는 것임을
원치 않는 변화가 찾아올 것임을

네가 다 받아들여야 하니
참 미안하고 고마울세라

새뜻한 너는 그저 빛과 같음을
네가 굳세게 나아가기를 원하는 바람은, 흐노니

언젠가 네 모습을 찾기를 기도하리라

봄꽃

가을, 겨울, 그리고
나, 바로 봄.
다른 계절엔 예쁜
라일락 없고
마침 나에게 피었네
바삐 피는
사랑의 봄꽃
아아
자연의 아름다움이여
차마 볼 수 없어
카메라에 담아 볼게
타오르는 너
파란 하늘 아래의 너
하얀 너

있는 것과 없는 것

상자 두 개가 있다
한 상자에게는 사과가 있다
다른 한 상자에게는 사과가 없다
두 상자가 자신의 면을 하나씩 열어 합치면
사과가 있다

사람 두 명이 있다
한 사람에게는 사랑이 있다
다른 한 사람에게는 사랑이 없다
두 사람이 자신의 면을 하나씩 열어 합치면
사랑이 있다

불필요

변화할 필요가 없다

과거의 너는 지금의 네가 되기 위해
끊임없이 노력하고 버텨왔고

결국 넌 이렇게 네가 됐고

앞으로 너는 더 멋진 네 모습을 위해 달려갈 테니

변화하려고 아등바등할 필요가 없다

지금의 네가 좋다

열다섯, 열일곱, 열여덟의 윤시현 드림.